ひこいち

七夕さま

山婆

しんべいとアライグマ

LOS SIETE MEJORES CUENTOS
JAPONESES

Textos:
Andrés Manosalva

Ilustraciones:
Muyi Neira

Textos en idioma original:
Mauricio Martinez

GRUPO
EDITORIAL
norma

http://www.norma.com
Bogotá, Barcelona, Buenos Aires, Caracas, Guatemala, Lima, México, Miami, Panamá,
Quito, San José, San Juan, San Salvador, Santiago de Chile, Santo Domingo.

Textos: Andrés Manosalva
Ilustraciones: Muyi Neira
Diseño de la colección: Muyi Neira
Diagramación y armada: Muyi Neira
Textos en idioma original: Mauricio Martinez
Edición: María Villa y Cristina Puerta

Impreso por D'VINNI Ltda

Impreso en Colombia-Printed in Colombia

C.C. 16009
ISBN 958-04-7211-4

Contenido

かぐや姫

KAGUYA HIME

Hace mucho tiempo, vivía en el campo un cortador de bambú con su mujer. Aunque eran pobres y no tenían hijos, eran felices. Cada día el hombre salía a cortar bambú. Una mañana, el cortador vio entre las cañas de bambú un resplandor. Buscó el resplandor y encontró que venía de una caña de bambú en particular. Cortó la caña con cuidado y halló dentro de ella a una pequeña niña. El cortador llevó la niña a casa. Él y su mujer criaron a la niña como su hija. El hombre siguió encontrando cañas de bambú que resplandecían y, al cortarlas, encontraba siempre oro. Pronto, él y su mujer se hicieron ricos.

かぐや姫

La niña crecía rápidamente. En apenas unos meses pasó de ser una bebé a ser una joven muy hermosa. El cortador y su mujer la llamaron Naotake Kaguya Hime. Pronto corrió la voz sobre la belleza de Kaguya Hime, quien además era muy dulce e inteligente. Fue así como noche y día empezaron a llegar pretendientes que deseaban casarse con Kaguya Hime. Como la joven no le prestaba atención a ninguno de ellos, no tardaron en rendirse. Sólo cinco nobles de la corte imperial persistieron. Kaguya Hime no estaba interesada en ninguno de ellos, pero, para complacer a su padre, prometió casarse con el primero que trajera lo que ella pidiera.

Al príncipe Ishizukuri le pidió el plato de Buda que estaba en la India. El príncipe había oído de cosas terribles que les sucedían a los viajeros en la India. Además, sabía que ningún templo querría entregar el plato.

六　6

El príncipe les hizo creer a todos que partiría hacia la India, pero en cambio se internó en las montañas. En un templo encontró un plato que se veía bastante antiguo y lo llevó como presente a Kaguya Hime. Ella se dio cuenta de que el plato no era lo que ella había pedido. Rechazó al príncipe Ishizukuri diciéndole que, si ni siquiera podía hacer bien cosas malas, era imposible que pudiera hacer cosas buenas.

El príncipe Kuramochi debía en cambio ir a P'englai, una isla flotante en el mar. Allí debía tomar una de las ramas de plata y piedras preciosas de alguno de los árboles de oro que crecen en la isla. Pero el príncipe Kuramochi decidió contratar a unos joyeros para que fabricaran una rama de plata y piedras preciosas en un taller secreto. Cuando la rama estuvo terminada, la llevó a la casa del cortador de bambú y la ofreció a Kaguya Hime, mientras contaba historias inventadas sobre su viaje a la isla. La joven esperaba que el mar detuviera al príncipe, pues no quería

casarse con él. El príncipe, en cambio, estaba muy contento, pero no se dio cuenta de que los joyeros lo habían seguido. Estos fueron donde Kaguya Hime y le contaron la verdad sobre la rama, agregando que el príncipe Kuramochi no les había pagado por su trabajo. Kaguya Hime conservó la rama, pero rechazó al príncipe, quien tuvo que huir avergonzado.

Al ministro Abe, Kaguya Hime le encargó un vestido de piel de ratas de fuego. Un vestido así no se quemaría, pues las ratas de fuego viven en los volcanes. Como el ministro no quería aventurarse en los volcanes y en vista de que tenía mucho dinero, prefirió comprar un vestido. Kaguya Hime se sorprendió al recibir un hermoso vestido azul con vetas plateadas. La joven quiso probar el vestido y lo puso al fuego. El vestido se quemó inmediatamente, por lo que el ministro tuvo que salir de la casa del cortador de bambú con las cenizas.

Cuando los servidores del consejero Otomo supieron que este debía llevarle a Kaguya Hime una de las siete joyas que crecen en la cabeza de cualquier dragón, supieron que esa era la más difícil y peligrosa de las misiones. El consejero los envió al mar y a las montañas en busca de dragones, pero todos se escondieron en sus pueblos, pues no querían encontrarse con ningún dragón. Al no tener noticias, el consejero Otomo se lanzó al mar, pero no le dijo al capitán del barco que buscaba dragones. Cuando se desató la tormenta, el capitán quiso dar vuelta, pero el consejero Otomo dio orden de seguir. Los dos sabían que los dragones controlan las tormentas. Pronto la tormenta destruyó el timón del barco. El barco, la tripulación y el consejero Otomo quedaron a merced del viento y de las aguas. Finalmente hallaron una playa. Al

regresar a la capital imperial, el consejero encontró a sus servidores esperándolo. Entonces se disculpó con todos y le hizo un regalo al capitán del barco. Jamás volvió a hablar de Kaguya Hime.

Al quinto pretendiente, el consejero Isonokami, se le pidió que llevara la cáscara de nácar de una golondrina. El consejero jamás había oído hablar de algo semejante. Sus servidores le explicaron que esa cáscara ayuda a la mujeres a tener hijos. Le dijeron también que muchas golondrinas anidaban en el techo de un establo que quedaba en sus tierras. Con una polea se hizo elevar en una canasta hasta el techo del establo. Allí intentó meter la mano en el nido de una golondrina en el momento en que agitara la cola al atardecer. Las primeras veces el consejero fue muy lento y culpó a sus servidores por no sostenerlo con firmeza. Finalmente pudo meter la

七つの日本昔ばなし

mano en un nido y palpar algo suave y tibio, pero se inclinó demasiado y cayó. Sus servidores trataron de atraparlo al caer, pero igual se partió varios huesos. Aunque Kaguya Hime lamentó el accidente, el consejero estaba muy molesto.

También el emperador supo de la belleza de Kaguya Hime. Un día fue de caza cerca de donde vivía el cortador de bambú. Quiso conocer a la joven en persona y fácilmente se abrió paso entre las paredes y las doncellas. El emperador se enamoró de inmediato de la belleza y del talento de Kaguya Hime. La joven, sin embargo, fue más resistente que las paredes y las doncellas. Le dijo al emperador que no quería vivir con sus otras esposas en la corte, ni tampoco casarse. De todas maneras, a Kaguya Hime le simpatizó el emperador. Por varias semanas se escribieron poemas.

Luego todos empezaron a notar que Kaguya Hime estaba triste, que pasaba las noches en el balcón de su casa mirando la luna y que no disfrutaba de los alegres días del verano. Cuando le preguntaban qué le pasaba, apenas sonreía. Unos días antes de la luna llena de agosto, Kaguya Hime se echó a llorar. El cortador de bambú se acercó a la joven y ella le dijo:

—Oh padre, debo decirte la verdad. Antes de que me encontraras en la caña de bambú, yo vivía en la luna; pero hice algo mal y me enviaron aquí para castigarme y para premiarte a ti, porque eres tan bueno. Ahora debo regresar a la luna. Partiré en la noche de luna llena.

El cortador de bambú no quería que Kaguya Hime se marchara, por lo que dio aviso al emperador. El emperador desplegó un ejército para rodear la casa del cortador de bambú en la noche de luna llena e impedir que la gente de la luna se llevara a Kaguya Hime. Todo fue en vano. En la noche de luna llena, bajó del cielo una nube que llevaba una carroza con varios hombres y mujeres aún más hermosos que Kaguya Hime, vestidos con largos trajes de plumas plateadas. Era tan maravilloso ver aquello, que los arqueros no pudieron disparar sus flechas, ni los soldados pudieron desenvainar sus espadas. Antes de llevarse a Kaguya Hime, la gente de la luna le entregó un vestido para que pudiera olvidar su vida en la tierra. La joven le dejó al cortador de bambú una píldora para que pudiera vivir para siempre, se puso su traje lunar y regresó a su verdadero hogar.

Puesto que el cortador de bambú no quería vivir para siempre, le envió la píldora al emperador junto con una carta que Kaguya Hime le había dejado. Ya que tampoco el emperador quería vivir tanto tiempo sin la hermosa joven, escribió una respuesta a la carta de Kaguya Hime. Luego envió a un servidor a la cumbre del monte Fuji, el lugar más cercano a la luna en Japón, para que quemara la píldora y la carta.

En el humo que a veces sale del monte Fuji, sube la carta del emperador para Kaguya Hime.

三年寝たろう

NETARO, EL MUCHACHO DURMIENTE

En una lejana aldea, vivían un hombre y una mujer con su hijo. El hombre y la mujer eran ya viejos y vivían pobremente. El muchacho estaba en edad de salir a trabajar en los campos de arroz, pero no hacía otra cosa que dormir. Pasaba las mañanas, las tardes y las noches acostado en su cama. Se levantaba apenas para lo necesario. Así estuvo por tres años, hasta que la gente empezó a llamarlo Netaro, el muchacho durmiente.

Su madre empezó a preocuparse. Primero pensó que el joven estaba enfermo; luego se dio cuenta de que no era más que un perezoso.

-¡Levántate! -le decía-. ¡Sal a trabajar al campo! Si no trabajas, jamás encontrarás a una muchacha que quiera casarse contigo.

Netaro apenas respondía con un "Mmmmmm", mientras se daba vuelta para seguir durmiendo. Su madre siguió insistiendo, pero no logró que el muchacho se levantara.

El padre ya estaba muy enojado con Netaro. Un día le gritó:

三年寝たろう

-¡Estas no son horas de dormir! No ha llovido y los campos están muy secos. Ve a traer un poco de agua del río y riega los campos. Si no nos ayudas, no tendremos arroz para comer.

De nuevo, todo lo que Netaro dijo fue:

-Mmmmmm.

Un día, Netaro se levantó de repente de la cama.

-Voy a las montañas -le dijo a sus padres-. Volveré pronto.

El hombre y la mujer se miraron sorprendidos, pero no preguntaron nada. El muchacho regresó esa misma tarde con una linterna que había comprado en el pueblo.

-Netaro, ¿dónde has estado? ¿Qué has estado haciendo? -le preguntaron sus padres. Netaro respondió apenas con un "Mmmmmm" y se fue de nuevo a la cama.

La casa vecina a la de Netaro y sus padres pertenecía a una familia muy rica. Tenían muchísimos campos y un gran almacén lleno hasta el tope con el arroz cultivado en los años anteriores. Una noche, mientras todos dormían, Netaro se levantó y se asomó al jardín de sus vecinos. Llevaba consigo un águila y la linterna que había comprado en el pueblo. Con mucho cuidado, Netaró trepó en un gran árbol que crecía en el jardín vecino. Cuando alcanzó la punta del árbol empezó a gritar para despertar al dueño de casa:

—¡Sal! Levántate y sal de la casa —tan fuerte gritó Netaro que el hombre finalmente se despertó y salió a ver quién lo llamaba.

—Soy un *tengu* —dijo Netaro desde la copa del árbol, cuando vio al hombre—. Vengo de las montañas.

Los *tengus* son duendes de las montañas, que tienen pequeños ojos brillantes.

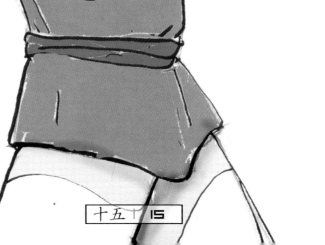

三年寝たろう

Sus manos son como garras y tienen largas narices como picos de pájaros. Nadie quiere tener problemas con ellos. Por eso, el hombre se dijo: "Un *tengu*, oh, vaya".

-Hola, señor *tengu*, ¿cómo está? –respondió el hombre, hablando muy respetuosamente y un poco intrigado. Mientras hablaba, trataba de ver de dónde salía la voz que venía de la copa del árbol-. ¿Qué puedo hacer por usted?

-Quiero que arregles el matrimonio de tu única hija con Netaro, el joven muchacho que vive en la casa de al lado.

-¿Qué? -preguntó el hombre asombrado-. ¿Por qué quieres que haga eso?

-No preguntes por qué, sólo hazlo.

-Sé que eres un *tengu* muy poderoso -dijo el hombre-, pero no puedo casar a mi hija así, sin más.

-¡Oh, ya veo! No puedes casar a tu hija con alguien tan perezoso y dormilón como Netaro. Está bien. Si eso es lo que quieres, haz de saber entonces que algún día tu familia será tan pobre como la de Netaro.

-¡No, no! -exclamó el hombre asustado-. ¿Qué hacer? ¡Vaya! ¡Sea! Se hará lo que usted diga. Casaré a mi hija con el muchacho que dice.

Entonces Netaro encendió la linterna. Luego amarró la linterna a las garras del aguila y la soltó. El águila se echó a volar llevando consigo la linterna. En verdad que parecía un *tengu*.

A la mañana siguiente, el hombre rico fue a la casa de Netaro para arreglar el matrimonio de su hija con el muchacho.

三年寝たろう

A partir de aquel día, Netaro cambió. Ya no permanecía en casa todo el día y trabajaba muchísimo. Construyó un canal para traer agua del río, que quedaba lejos, hasta el pueblo. Aunque la muchacha jamás había trabajado, le colaboró a Netaro. Por fin, luego de unos años, el agua del río empezó a llegar al pueblo por el canal. Así pudieron regar las cosechas sin temer a los terribles veranos.

El hombre rico estaba muy sorprendido y le entregó todos sus campos a Netaro. Iba por el pueblo muy sonriente, contándole a todos, lleno de orgullo, que Netaro era la reencarnación de un *tengu*.

浦島太郎

URASHIMA TARO

Hace mucho tiempo, en una lejana aldea junto al mar, un joven llamado Urashima Taro vivía con su anciana madre. El muchacho quería mucho a su madre y la cuidaba lo mejor que podía, pues no tenía a nadie más. Vivían de lo que Urashima Taro lograba pescar cada día. Un otoño, día tras día el mar amanecía revuelto, por lo que Urashima Taro no podía pescar.

浦島太郎

Una mañana muy temprano, el pescador fue a la playa y vio las altas olas. Se quedó mirando el mar un poco triste, pues ya llevaba varios días sin poder llevar a casa algo de comer.

En eso estaba, cuando vio a tres muchachos, muy cerca de él, que molestaban y golpeaban con palos a una tortuga.

-¿Cómo se atreven a lastimar a una criatura como esta? -gritó Urashima Taro, mientras perseguía a los muchachos. Los tres muchachos huyeron y Urashima Taro se acercó a la tortuga para ver si estaba lastimada. Cuando vio que la tortuga estaba bien, la devolvió al mar.

A la mañana siguiente, Urashima Taro regresó a la playa y vio la cabeza de la tortuga asomarse entre las olas.

-Te debo la vida -dijo la tortuga agradecida, mientras salía del agua y se acercaba al pescador-. Como muestra de

七つの日本昔ばなし

agradecimiento, quiero que vengas conmigo. Te llevaré a conocer el Palacio del Dragón.

Urashima Taro pensó que sería fantástico ir allí. Todos saben que el Palacio del Dragón está bajo el mar y hablan de su hermosura, pero nadie lo ha visto. El muchacho realmente quería ir, pero no quería dejar sola a su anciana madre.

-No tardaremos -prometió la tortuga.

Urashima Taro aceptó la invitación y subió sobre el caparazón de la tortuga. La tortuga se sumergió en el mar.

Al avanzar por entre el agua, se acercaron a un castillo que relumbraba por estar cubierto de oro y plata. Del castillo salió una princesa hermosa, ricamente vestida. Iba rodeada por sus

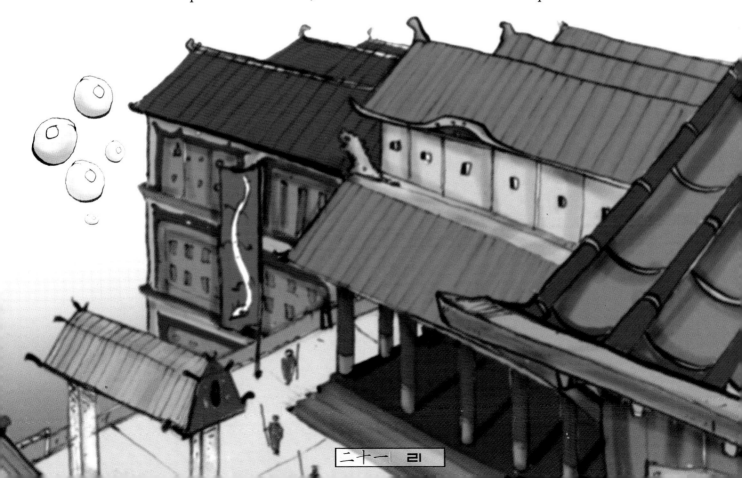

浦島太郎

damas de compañía y una corte de peces de colores. La princesa invitó a Urashima Taro a entrar al castillo. El muchacho estaba maravillado. Mucho más se sorprendió al ver que adentro había un espléndido banquete servido para él.

El joven pescador se deleitó comiendo platos y postres exquisitos que parecían no acabarse nunca. También bebió vinos magníficos. Entre tanto, hablaba con la princesa sin dejar de pensar en lo hermosa que era. Además, Urashima Taro se entretenía oyendo una música que lo envolvía y viendo a las doncellas y a los peces bailar graciosamente. Urashima Taro estaba bajo un encanto. Antes de que pudiera darse cuenta, habían pasado lo que a él le parecieron tres años.

Finalmente, el pescador salió del encanto y quiso volver a su casa. Sentía mucho dejar a la princesa y el fantástico Palacio del Dragón, pero quería volver a ver a su madre. La Princesa del Mar pareció entristecerse mucho. Como regalo de despedida, le entregó al pescador un pequeño cofre con tres cajones, y le dijo:

-Si alguna vez te encuentras en problemas o te sientes perdido, ábrelo -Urashima Taro subió de nuevo sobre el caparazón de la tortuga, llevando el cofrecillo bajo su brazo.

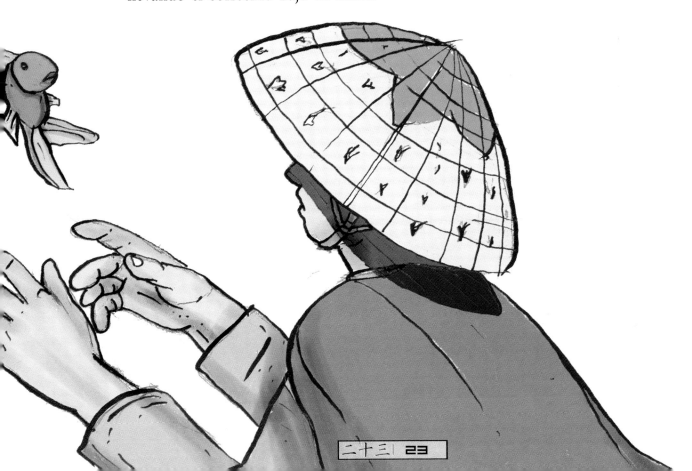

浦島太郎

Así, emprendió el regreso a casa para ver a su madre. Subiendo por el agua, al fin llegaron a la playa.

De regreso en la aldea, Urashima Taro se sorprendió al ver que los ríos y las montañas habían cambiado su forma hasta hacerse irreconocibles, y que muchos árboles habían muerto. Al acercarse a un viejo campesino, Urashima Taro le preguntó:

-¿Acaso sabes dónde puedo hallar la casa de Urashima Taro, un pescador que solía vivir cerca de aquí?

El viejo le respondió:

-Cuando mi abuelo era un hombre joven, se decía que alguien así llamado había viajado al Palacio del Dragón. Jamás se volvió a saber de él.

Urashima Taro se sintió muy solo y abatido. Su querida madre había muerto y todo lo que quedaba de su casa era un jardín crecido.

Sin saber qué hacer,
Urashima Taro recordó el cofre-
cillo y las palabras de la Princesa del Mar. Lo tomó
en sus manos y abrió con cuidado el cajón de arriba.
En él encontró la pluma de una grulla. Luego abrió el
cajón del medio y de inmediato salió un humo blanco
que lo envolvió. En apenas un instante, Urashima
Taro se convirtió en un hombre encorvado y de
pelo blanco. Al mirarse en el espejo en el fondo
del cofrecillo, Urashima Taro se sorprendió al
ver cuánto había envejecido.

Mientras pensaba en cómo era esto posible, una ráfaga de
viento levantó la pluma de grulla y la llevó por el aire hasta
posarla sobre la espalda de Urashima Taro. En un momento
quedó convertido en una grulla. Desplegó sus alas y voló
hacia el cielo. La tortuga asomó su cabeza sobre las olas para
verlo volar. La tortuga no era otra que la Princesa del Mar.

しんべいとアライグマ

JINBEI Y EL MAPACHE

Jinbei era un hombre que recogía todas las cosas que la gente ya no quería y que terminaban en la basura. Iba por las calles con una carreta que él mismo empujaba; en la carreta cargaba todo cuanto se encontraba. Cargaba con ollas, platos, pocillos, herramientas, jarros, cofres, floreros, molinos... cualquier cosa vieja que la gente no quisiera más.

七つの日本昔ばなし

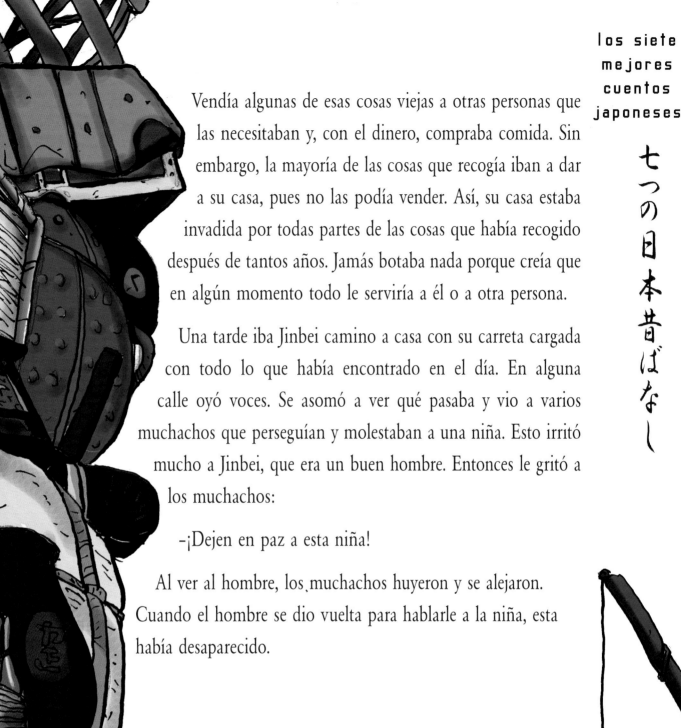

Vendía algunas de esas cosas viejas a otras personas que las necesitaban y, con el dinero, compraba comida. Sin embargo, la mayoría de las cosas que recogía iban a dar a su casa, pues no las podía vender. Así, su casa estaba invadida por todas partes de las cosas que había recogido después de tantos años. Jamás botaba nada porque creía que en algún momento todo le serviría a él o a otra persona.

Una tarde iba Jinbei camino a casa con su carreta cargada con todo lo que había encontrado en el día. En alguna calle oyó voces. Se asomó a ver qué pasaba y vio a varios muchachos que perseguían y molestaban a una niña. Esto irritó mucho a Jinbei, que era un buen hombre. Entonces le gritó a los muchachos:

-¡Dejen en paz a esta niña!

Al ver al hombre, los muchachos huyeron y se alejaron. Cuando el hombre se dio vuelta para hablarle a la niña, esta había desaparecido.

しんべいとアライグマ

Miró en todas las direcciones, pero la niña no estaba por ningún lado. "¡Qué extraño! ¿Adónde pudo haber ido? ", se preguntó Jinbei.

Jinbei siguió por su camino. Un poco más adelante se cruzó con un maestro del templo budista que quedaba en la cima de la colina.

—Hola, Jinbei —lo saludó el sacerdote al pasar. Luego le dijo—: ¡Qué bueno que te veo! Hace tiempo estoy buscando una tetera. Si encuentras una en buen estado, dímelo. Te pagaré bien por ella —se separaron y cada uno siguió su rumbo.

De vuelta a casa, Jinbei empezó a descargar todo cuanto llevaba en la carreta, tratando de ordenarlo lo mejor posible. No era nada fácil, pues ya tenía demasiadas cosas guardadas. En eso estaba, cuando en una esquina descubrió una tetera muy bonita y reluciente. No recordaba haberla visto antes, así que se preguntó: "¿Dónde habré yo recogido esto?". Se acordó entonces de que el sacerdote le había encargado una tetera. Tomó la tetera, la envolvió en un manto, la cargó a sus espaldas y se dirigió al templo en busca del sacerdote.

七つの日本昔ばなし

"¡Vaya, es bastante pesada!", se dijo Jinbei, mientras subía por la colina hacia el templo. Entonces oyó una voz detrás suyo que decía:

-Estás cerca, sigue.

Jinbei se sorprendió mucho al oír la voz, por lo que descargó un momento y abrió el manto. En lugar de la tetera, el hombre descubrió a un mapache. Jinbei comprendió que el mapache había tomado la forma de una tetera y que ahora recobraba su forma original.

El mapache le dijo: -¿Recuerdas a la niña que ayudaste hoy? Yo soy esa niña. Quiero devolverte el favor.

Jinbei siguió su camino hasta llegar al templo. Allí se encontró con el sacerdote y le entregó la tetera.

-¡Es muy hermosa! -exclamó el sacerdote y, sin dudarlo un instante, tomó la tetera y le entregó a Jinbei el dinero.

De regreso a casa, Jinbei pensaba: "He hecho algo terrible, le he dado al sacerdote un mapache en lugar de una tetera". También le preocupaba saber si el mapache estaría bien. Entretanto, el sacerdote, muy emocionado con su nueva tetera, decidió prepararse un té. Llenó la tetera de agua y la puso al fuego. El mapache hizo todo cuanto pudo para quedarse quieto, pero no lo pudo soportar más.

-¡Ay! -gritó el mapache al saltar. Luego huyó por una ventana.

しんべいとアライグマ

El sacerdote se llevó un buen susto al ver que la tetera estaba viva; tanto que cayó sentado y se lastimó la espalda.

-¡Me han engañado! -gritó enfurecido.

Jinbei estaba en su casa pensando en lo que habría pasado con la tetera y el sacerdote, cuando el mapache llegó corriendo.

-¡Ay, ay! -se quejaba el mapache, mientras se acercaba a Jinbei llorando. El hombre pudo ver que el animal había sufrido unas terribles quemaduras.

-Mira lo que te ha pasado por mi culpa -se disculpó Jinbei muy afligido, mientras trataba de calmar al mapache. Estaba Jinbei frotando algo de aceite sobre las heridas del mapache, cuando llegó el sacerdote, con la cara muy roja y enfurecido.

El sacerdote gritó: -¡Oye, tú! ¡Cómo te atreves a engañarme así! ¡Devuélveme mi dinero! Como también yo me he lastimado, tendrás que darme más dinero para que pueda curarme.

Jinbei tuvo que darle al sacerdote más dinero del que había recibido por la tetera. El mapache se disculpó con Jinbei por haberlo puesto en tales aprietos.

-Lo lamento. Todo lo que yo quería era devolverte el favor, pero mira los problemas que he causado -dijo el mapache muy compungido.

三十一 ΕΙ

しんべいとアライグマ

Jinbei le respondió: -Está bien, no te preocupes. Descansa para que te cures pronto. No te preocupes por el dinero. Creo que tengo una buena idea.

Las heridas del mapache sanaron gracias al cuidado y el cariño de Jinbei. Cuando se sintió bien, el animal le dijo:

-Un día dijiste que tenías una idea. ¿Cuál es esa idea?

-Ah, sí -respondió Jinbei-. Esto es lo que he estado pensando: creo que tú y yo podríamos presentarnos en las calles. Yo tocaré la flauta y el tambor, mientras tu caminas sobre la cuerda y bailas. ¿Qué te parece?

Al mapache le pareció una buena idea: -¡Hagámoslo! -dijo-, aunque habrá que practicar antes... -y de inmediato empezaron a ensayar.

Luego de un tiempo, Jinbei y el mapache salieron a las calles para mostrar sus trucos. Pronto se hicieron muy conocidos; una multitud los rodeaba siempre que se presentaban. De esta forma el mapache le devolvió el favor a Jinbei. Juntos se hicieron ricos y vivieron muchos años felices.

En los templos estudian los niños que se convertirán en monjes. Son lugares hermosos y tranquilos. En un templo, hace mucho tiempo, vivía un niño. Este niño no estudiaba ni se esforzaba tanto como los otros; tomaba largas siestas o correteaba conejos por el campo. Era muy desjuiciado y le gustaba gastarle bromas a sus compañeros y a los monjes mayores.

Un día de otoño, cuando las hojas estaban cambiando de color, el niño vio un árbol de castañas que empezaba a dar fruto. Las castañas se veían muy apetitosas.

-Maestro, me gustaría comer de las castañas del árbol que crece allá en la montaña. ¿Puedo ir y recoger algunas? -dijo el niño.

山
婆

-No, la gente dice que en la montaña vive una bruja. La bruja te comerá -respondió el maestro.

-Eso no puede ser verdad. Seguro fue algo que alguien inventó para mantenernos lejos de la montaña y el bosque. Por favor, déjeme ir -insistió el niño.

El monje meneó la cabeza, pues sabía lo inquieto que era el niño. Luego le dijo: -Está bien. Le vendría bien a un muchacho desjuiciado como tú estar de veras asustado alguna vez. Puedes ir, pero si te encuentras con la bruja, usa esto -el monje le dio al niño tres papeles con encantamientos. El niño los tomó y corrió hacia la montaña.

En la montaña, el niño encontró muchas castañas maduras. Jugó corriendo por la ladera, subiendo a los árboles, saltando por las ramas. Luego empezó a recoger todas las castañas que pudo. Quería llevar muchas para poder comerlas en el templo. Se distrajo tanto recogiendo las castañas que se olvidó de todo; cuando alzó la cabeza, vio que ya el sol se había ocultado y había caído la noche oscura. "Da un poco de miedo estar aquí afuera en esta oscuridad", se dijo. "¿Qué haré si me encuentro con la bruja de la montaña?". Apenas dijo esto, oyó una voz a sus espaldas.

-Vaya, vaya. Hola, muchacho, ¿cómo estás?

Pensando todavía en la bruja, el niño se dio vuelta de un salto.

七つの日本昔ばなし

Estaba muy asustado. Se calmó cuando vio que era una anciana que parecía muy amable.

-¿Has venido a la montaña a recoger castañas? -preguntó la anciana-. ¿Por qué no vienes a mi casa? Las cocinaré para que puedas comerlas.

El niño tenía hambre y siguió a la mujer a su casa. Era una casa pequeña en medio de la montaña. La anciana cocinó las castañas y el niño comió hasta hastiarse. Luego se durmió. Despertó en medio de la noche. La anciana no estaba allí. Oyó un ruido extraño que venía del cuarto vecino. Intrigado, se asomó y vio a la terrible bruja de la montaña afilando un enorme cuchillo.

-¡Aaaaaaah! -gritó aterrorizado. La bruja levantó los ojos y lo vio.

-¿Con que me viste, no, muchacho? Pues así es, yo soy la bruja de la montaña y ahora te voy a comer -al decir esto, la bruja de la montaña se lanzó tras él para atraparlo.

Atemorizado, el niño dijo: -Eh... bien. Sólo déjame ir al baño. Si no lo hago, me mojaré -el niño entró al baño atado a una cuerda. La bruja se quedó haciendo guardia al otro lado de la puerta.

-¿No has terminado? -preguntó la bruja después de un rato.

-¡Sólo un momento! ¡Espera un poco! -dijo el niño, pero sabía que no podría tenerla esperando para siempre. "¿Qué hacer?", se preguntó. "¡Ah! Claro, puedo usar los encantamientos que el monje me dio", pensó. El niño pegó uno de los encantamientos de papel a la pared y dijo-: ¡Oh, encantamiento! Por favor, respóndele a la bruja cuando me llame -luego salió del baño por una ventana y corrió hacia el templo.

山
婆

-¡Muchacho! ¿No has terminado? Te demoras demasiado -gritaba la bruja, creyendo que el niño seguía adentro.

-¡Sólo un momento! ¡Espera un poco! -respondía el encantamiento de papel con la voz del niño. La bruja empezó a sospechar, pues siempre recibía la misma respuesta. Abrió entonces la puerta y vio que el niño no estaba.

-¡Vaya sinvergüenza! ¡Me engañó! ¡Se arrepentirá de esto! -decía la bruja, mientras salía de su casa para perseguir al niño.

"¡Ja! Estuvo cerca", se decía el niño, mientras corría, tratando de calmarse un poco. Miró hacia atrás para ver cómo se alejaba del peligro.

-¡Detente justo ahí donde estás, niño! ¡Ahora te voy a comer! -la bruja se veía aún más espantosa ahora que estaba enfurecida y corría muy aprisa.

-¡No puede ser! ¡Si me atrapa, estoy muerto! ¡Encantamiento, haz que aparezca un río detrás de mí! -dijo el niño.

七つの日本昔ばなし

Al pedir este segundo deseo, apareció de repente un gran río. La corriente arrastró a la bruja aguas abajo.

"Seguro que la bruja se ahogará en el agua", pensó el niño aliviado. No acabó de pensar en esto, cuando la bruja, usando todos sus poderes mágicos, se bebió el agua del río y siguió persiguiéndolo.

-¡Oh, no! Esta vez hazme un mar de fuego -pidió el niño al último encantamiento de papel. Apenas dijo esto, el mar de fuego apareció y envolvió a la bruja. Esta vez la bruja dejó salir toda el agua que había bebido y apagó el fuego. Luego siguió tras el niño.

"No puedo hacer nada. Me atrapará", pensó el niño, mientras huía para salvarse. Entonces corrió tan rápido como pudo y logró llegar al templo justo antes que la bruja.

-¡Maestro, ayúdame! ¡La bruja de la montaña me persigue, está allí fuera!

-Entonces te la encontraste. ¿Aprendiste tu lección? -dijo el maestro, mientras comía un pastelillo de arroz.

El niño pensó en todo lo que había pasado y le pidió perdón al monje:

-Lo lamento, maestro. De ahora en adelante me portaré mejor.

El maestro lo escuchó y luego lo escondió en un gran cántaro.

Apenas se hubo escondido el niño, entró la bruja derribando la puerta del templo.

-¡Dime, monje! ¡Dónde está el muchacho que entró corriendo? ¡Tráemelo pronto!

El monje pretendió no saber de qué le estaban hablando: -¿Qué? -dijo-. He estado aquí comiendo pasteles de arroz y no he visto a nadie.

Esto molestó a la bruja aún más.

-Puedes decir lo que quieras. No me importa. Te comeré a ti en lugar de él, si no me lo entregas -dijo la bruja con voz amenazadora.

-De acuerdo -respondió el monje-. Pero antes veamos quién de los dos es mejor convirtiéndose en distintas cosas -dijo el monje retando a la bruja-. Si ganas, podrás hacer lo que te plazca. ¿Puedes transformarte en lo que yo diga?

-¿Es esto una broma? -preguntó la bruja, llena de confianza-. Puedo convertirme en lo que sea. Vamos, di lo que quieras.

El monje vio cuán arrogante era la bruja y dijo: -¿Puedes hacerte tan alta como el techo del templo?

No terminó el monje de decir esto, cuando la bruja, sin problema alguno, había crecido hasta hacerse tan alta como el techo.

-Vaya, pero no creo que seas capaz de volverte tan alta como aquella montaña -dijo el monje.

-Nada más fácil -dijo la bruja, y de inmediato se hizo tan alta como la montaña.

El monje parecía maravillado. Entonces dijo: -Vaya, eso sí que es sorprendente. Te puedes hacer tan grande como quieras, pero no puedes volverte tan pequeña como un fríjol, ¿o sí?

La bruja se sintió ofendida y dijo: -Eso es fácil; nada más mira -entonces se encogió hasta hacerse más pequeña que la punta del dedo del monje.

-¡Estoy muy impresionado! Ahora es mi turno -dijo el monje. Entonces recogió a la bruja, que ahora era del tamaño de un fríjol, la metió en uno de sus pastelillos de arroz y se lo comió todo de un bocado.

Después de eso, nunca más se volvió a ver a la bruja de la montaña. El pícaro niño se volvió más estudioso y dejó de hacer tantas travesuras. Estaba muy agradecido con su maestro y escuchaba todo lo que el monje decía.

七夕さま

TANABATA

七つの日本昔ばなし

Un joven vivía en una pequeña aldea. Todos los días salía a trabajar al campo. Un atardecer, el joven iba caminando distraídamente de vuelta a su casa. A un lado del camino, vio algo muy blanco y resplandeciente que le llamó la atención. Al acercarse, vio que era un vestido, lo recogió y quedó maravillado; era el traje más hermoso que jamás había visto. El muchacho quiso quedarse con aquella ropa, de manera que la puso en su canasto y se dispuso a seguir por su camino.

Justo entonces, una voz se dejó oír:

-Disculpa.

-¿Qué? ¿Acaso alguien me llama? -preguntó el muchacho confundido.

-Sí, he sido yo -respondió una muchacha hermosísima, escondida tras un árbol.

El joven no vio más que la cara de la muchacha.

-Por favor, devuélveme mi vestido de plumas -dijo ella-. Vivo en el cielo y bajé sólo para

七夕さま

darme un baño en este lago. Sin mi vestido de plumas no puedo regresar.

La muchacha parecía a punto de echarse a llorar, pero el muchacho se hizo el desentendido y respondió:

-¿Vestido de plumas? Yo no sé de qué me hablas.

Sin poder regresar al cielo, la muchacha debió permanecer en la tierra. Se fue a vivir con el joven campesino. Tanabata era el nombre de la diosa. Tanabata y el joven se casaron y vivían felices.

Una mañana, cuando el joven campesino se había ido al campo, Tanabata encontró su traje de plumas escondido entre dos vigas en el techo de la casa. "Lo sabía, ha estado escondiéndolo", se dijo la muchacha. Se puso el vestido de plumas y se

acordó de cómo vivía en el cielo. De nuevo se sintió como una diosa.

Aquella tarde, cuando el joven regresó a casa, se sorprendió al ver a Tanabata frente a la casa, luciendo el vestido de plumas. Tanabata empezó a alzarse hacia el cielo, y le dijo al joven:

-Si me amas, teje mil pares de sandalias de paja y entiérralas alrededor del árbol de bambú. Si lo haces, nos veremos de nuevo. Por favor, hazlo. Te estaré esperando -Tanabata se elevó cada vez más alto y regresó a su hogar en el cielo.

El joven quedó muy triste, solo en su casa, pero sabía lo que debía hacer. Muy de mañana al siguiente día, empezó a tejer las sandalias de paja. Siguió tejiéndolas día y noche casi sin descansar. Trabajaba afanosamente para poder reunirse con su amada Tanabata. Por fin terminó de hacer las sandalias y las enterró alrededor del árbol de bambú.

De inmediato, el árbol empezó a hacerse más y más grande, y a crecer y crecer, alzándose hacia el cielo. Entonces el joven empezó

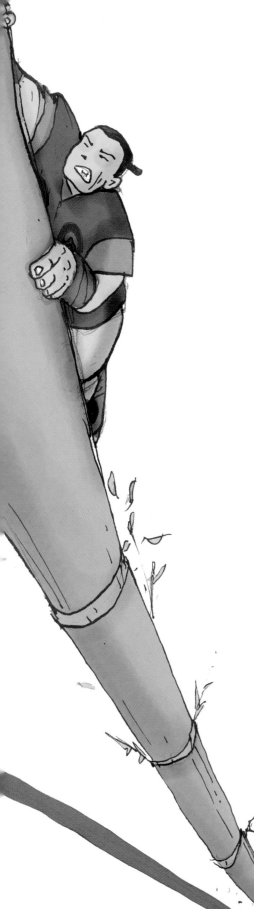

a subir por él árbol, ayudándose con pies y manos. Subió y subió casi sin parar, aunque era muy largo el viaje hasta el cielo. Ni siquiera se detuvo para mirar hacia abajo; hacia su casa que quedó sola. Todo porque deseaba ver a Tanabata cuanto antes. Tanto se había apresurado en hacer las sandalias de paja, que no calculó que sólo había hecho 999 pares. El árbol se detuvo justo antes de que el joven pudiera entrar en el cielo. No alcanzaba a tocarlo con las manos.

-¡Tanabata! ¡Tanabata! -empezó a gritar el joven para que su esposa lo pudiera escuchar en el cielo.

-¡Eres tú! -exclamó la diosa. Tanabata alargó su mano y ayudó al joven a entrar en el cielo.

-Te extrañé tanto, Tanabata -dijo el joven. Se abrazaron fuertemente. Ambos estaban muy felices de poder verse de nuevo.

El padre de Tanabata, sin embargo, no estaba tan contento de que su hermosa hija se hubiera casado con un hombre del mundo de abajo. Trataba mal

七つの日本昔ばなし

al joven y le daba mucho trabajo para hacerlo infeliz y separarlo de su hija. Un día, el padre de Tanabata se acercó al joven y le dijo:

-Vigilarás el campo de melones durante tres días y tres noches.

El muchacho le contó a su esposa el encargo del padre. Antes de que partiera al campo, la hermosa Tanabata le advirtió al joven que no debía probar ninguno de los melones.

En el campo hacía mucho calor. Los melones se veían muy jugosos. Al tercer día el joven estaba muy sediento; no pudo soportarlo más y tomó uno de los melones. Al momento de hacerlo, una gran corriente de agua salió de la fruta hasta volverse un río.

-¡Tanabata! -gritó el joven, al tiempo que oía la voz de su esposa que lo llamaba. Quedaron separados por las aguas del río.

七夕さま

Los dos amantes, mirándose uno al otro
a cada lado del río, se convirtieron en dos
estrellas, Altair y Vega. El padre de Tanabata
les permite encontrarse una vez al año en la
noche del 7 de julio. Hasta el día de hoy, las
dos estrellas brillantes se miran la una a la
otra a través de la Vía Láctea.

ひこいち

**HIKOICHI
Y LA CAPA
MAGICA**

En las montañas solitarias viven los *tengus*. Son duendes con enormes narices. Tienen alas y sus manos son como garras. Además son muy caprichosos y de muy mal carácter. También son muy curiosos e inquietos. Nadie quiere tener problemas con un *tengu*, pues tienen poderes y pueden causar mucha incomodidad.

Hace mucho, en una cierta aldea cercana a una montaña, corrían rumores acerca de un *tengu* que vivía cerca de allí. Se decía que este *tengu* tenía una capa mágica. El poder de la capa era hacer invisible a quien la llevara puesta. Así, esta capa le permitía al *tengu* bajar al pueblo y entrar en las casas sin ser visto.

ひこいち

En esta aldea vivía un muchacho muy pícaro llamado Hikoichi. Un día, Hikoichi oyó hablar del *tengu* y de la capa que lo hacía invisible. El muchacho pensó en todo lo que podría hacer si pudiera hacerse invisible. Hikoichi quiso entonces tener la capa y tramó un plan para robarla.

Días después, Hikoichi subió a la montaña. Tomó una caña de bambú y puso su ojo en un extremo de la caña, como si estuviera mirando por ella. Entonces gritó tan fuerte como pudo:

-¡Vaya! ¡Es increíble! Puedo ver todo el valle y los pueblos lejanos.

Pronto el *tengu* apareció. Con sus ojitos pequeños y brillantes, miraba con curiosidad la caña de bambú.

-¿Qué es tan sorprendente? Déjame ver -dijo el *tengu*.

-No, no quiero. Si miraras a través de esto podrías ver las cosas más lejanas, como si estuvieran casi encima tuyo. No hay nada que se le parezca -respondió Hikoichi.

七つの日本昔ばなし

Esto hizo al *tengu* aún más curioso, por lo que le suplicó al muchacho: -Por favor, Hikoichi, déjame ver. Si lo haces, te dejaré usar mi capa.

Por dentro, Hikoichi reía; pero le dijo muy serio al *tengu*: -No es más que una capa vieja y sucia. Tu capa no se compara con esto.

-¿Acaso no sabes lo que puedes hacer con esta capa? -dijo el *tengu*-. Quien la usa se hace invisible para los demás. Puedes ir al pueblo, entrar en las casas, hacer lo que quieras y nadie te verá.

-Esa vieja capa, ¿realmente me puede hacer desaparecer? -preguntó Hikoichi.

Para que el muchacho le creyera, el *tengu* se envolvió en la capa. Apenas hizo esto, desapareció, se hizo invisible. Hikoichi estaba admirado, pero aún se hizo rogar del *tengu* un poco más. Al fin Hikoichi aceptó. Le entregó al *tengu* la caña de bambú y recibió a cambio la capa mágica. Muy emocionado, el *tengu* se asomó por el extremo de la caña y exclamó:

-¡No veo nada! ¿Cómo la hago funcionar?

Comprendió que el muchacho lo había engañado y gritó: -¡Vaya si eres astuto!

ひこいち

Pero ya Hikoichi había corrido montaña abajo, envuelto en la capa.

De regreso al pueblo, el muchacho entró a una casa donde hacían sake. Había varias personas, pero nadie parecía darse cuenta de que Hikoichi estaba allí. "Realmente soy invisible", se dijo Hikoichi y aprovechó para beber de un barril. El sake era muy bueno, por lo que el muchacho siguió bebiendo hasta que se sintió borracho. Llegó a su casa dando tumbos, se quitó la ropa y se acostó a dormir.

A la mañana siguiente, Hikoichi recordó todo lo que había pasado y pensó: "La capa es realmente maravillosa. ¿Qué haré hoy?". Buscó la capa, pero no la encontró.

七つの日本昔ばなし

Buscó de nuevo por todas partes, pero aun así no dio con la capa. Como le pareció extraño, el muchacho le preguntó a su madre:

-¿Viste la capa que dejé aquí anoche?

-¡Ah! Entonces la capa sucia y rota que encontré era tuya. Estaba tan fea que la quemé hace un momento -respondió su madre.

-¡¿Qué has hecho?! -gritó Hikoichi y corrió hacia el fuego. De la capa no quedaban más que cenizas.

-¿Qué haré ahora? -se preguntó el muchacho. No pasó mucho tiempo antes de que a Hikoichi se le ocurriera una buena idea. "Podría funcionar. Estas son las cenizas de la capa mágica", pensó Hikoichi. Se quitó toda la ropa, tomó las cenizas y se cubrió con ellas. A medida que esparcía las cenizas sobre su cuerpo, se iba haciendo invisible. "¡Excelente! Podré hacer lo que quiera", se dijo Hikoichi.

El muchacho salió contento a la calle, pensando en lo que haría para aprovechar que era invisble. Pronto dio con una casa donde había un gran banquete. Hikoichi entró sin que nadie advirtiera su presencia. Había mucha comida y mucho sake, por lo que el muchacho decidió comer y beber.

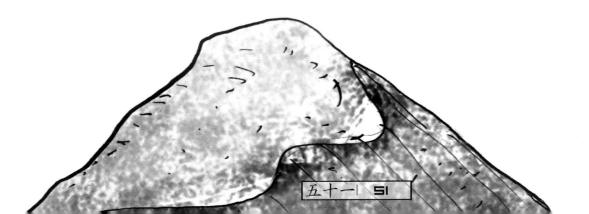

ひこいち

"Esto es en verdad delicioso", se decía Hikoichi, mientras caminaba por el salón comiendo y bebiendo a su antojo. La gente que estaba en el banquete no podía verlo; para ellos era como si la comida desapareciera misteriosamente de sus platos, o como si las copas flotaran en el aire y en un instante el licor se evaporara.

Los anfitriones, los invitados y quienes servían en el banquete estaban muy asustados. A todos les pareció que aquello era muy extraño. –¿Es esto cuestión de fantasmas?–, se preguntaban unos a otros. Sin embargo, en un momento vieron algo que empezó a aparecer en el aire.

–¿Es eso una boca? –dijo alguien. Mientras seguían mirando, aparecieron la punta de una nariz y la palma de una mano.

El goloso Hikoichi estaba tan contento que siguió haciendo lo que le venía en gana, sin darse cuenta de que las cenizas estaban cayendo poco a poco. Al caer, partes de su cuerpo se volvían visibles. Así, nuevas partes de su cuerpo fueron apareciendo.

七つの日本昔ばなし

Para entonces, todos los invitados del banquete estaban seguros de que no se trataba de fantasmas. "Esto parece otra más de las travesuras de Hikoichi", pensaron todos. Se pusieron entonces de acuerdo y tramaron la manera de atrapar al muchacho. Hikoichi no se daba cuenta de que ya era en parte visible. Siguió comiendo y bebiendo. Lentamente, todos lo rodearon, pretendiendo no verlo; y, en un momento, saltaron todos al tiempo sobre él y lo lanzaron agua.

Allí estaba Hikoichi en medio del salón, como un tonto.

-Así que eras tú, después de todo. Deberías avergonzarte de caminar desnudo por ahí. Esta vez te dejaremos ir, así que vete y ponte algo de ropa encima -le dijo el dueño de casa.

Todos rieron y sacaron al muchacho del banquete. El muchacho tuvo que correr hasta su casa, aún desnudo. Por el camino, Hikoichi seguía pensando: "¿Qué fue lo que pasó? ¿Cómo supieron que yo estaba allí?".

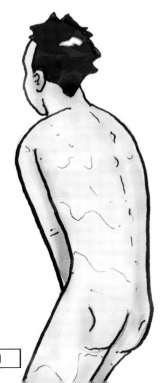

浦島太郎

三年寝たろう

かぐや姫

七つの日本昔ばなし